D1544520

PADDLE...
MY NAME IS KID PADDLE

SCÉNARIO ET DESSIN : MIDAM
COULEURS : ANGÈLE

DUPUIS

Dépôt légal : novembre 2002 — D.2002/0089/194
ISBN 2-8001-3259-0

TRÈS BIEN, KID. JE VAIS M'AVANCER LENTEMENT VERS TOI ET TU VAS CALMEMENT ME DONNER CE PISTOLET LASER.

VOILÀ, JE M'AVANCE LENTEMENT VERS TOI.

JE NE FAIS PAS DE GESTES BRUSQUES.

MAINTENANT, JE VAIS TENDRE DOUCEMENT LA MAIN ET TU VAS ME DONNER CE PISTOLET LASER.

TRÈS BIEN, KID.

JE LE DÉPOSE DÉLICATEMENT SUR LA TÉLÉ.

TU VOIS? TOUT S'EST TRÈS BIEN PASSÉ.

OK, JE VAIS TE DEMANDER DE ME SUIVRE, APRÈS QUOI JE TE LIRAI TES DROITS.

TU AS LE DROIT DE MANGER UNE ASSIETTE DE SPAGHETTI AVEC 20 GRAMMES DE GRUYÈRE RÂPÉ. TOUTE TACHE DE SAUCE SERA RETENUE CONTRE TOI. EST-CE QUE TU COMPRENDS TES DROITS?

SI TU ÉTAIS PARFAITEMENT NORMAL, "KID, LE DÎNER EST PRÊT" DEVRAIT LARGEMENT SUFFIRE...

JE VEUX CHANGER D'AVOCAT!

288

PFFFFFFFFFF

PFFFFFFFFF

?

PFFFFFFFFF

289

BON, VOYONS VOIR...

MOUAIS, PAS TERRIBLE...

À QUI LA MAIN ?

HORACE.

J'OUVRE AVEC UN CHAMPIGNON DE PARIS, EXCELLENT SUR TOAST...

PFFF... JE TE PRENDS AVEC CETTE "AMANITE JONQUILLE„! COMESTIBLE DOUTEUX !

PAS MAL ...

...MAIS PAS ASSEZ CONTRE CETTE "RUSSULE ÉMÉTIQUE„ RESPONSABLE DE VOMISSEMENTS !

WOAW !

JOLI !

JE CONTRE TA RUSSULE AVEC CE "CLITOCYBE BLANC„ QUI PROVOQUE DES VOMISSEMENTS ET DES DIARRHÉES !

J'AI PAS DE JEU. "PLEUROTE„. EXCELLENT COMESTIBLE SURTOUT EN OMELETTE...

PAS DE BOL, TU ENTRES DANS MON JARDIN ! "LACTAIRE À COLIQUE„ ! L'AS INCONTESTÉ DE LA COLIQUE !

BELLE RÉPLIQUE MAIS INSUFFISANTE CONTRE CET "ENTOLOME LIVIDE„ : TROUBLES GASTRO-INTESTINAUX ET NERVEUX !

BEN VOYONS ! "GRISETTE„ ... ...TRÈS APPRÉCIÉE PAR LES GASTRONOMES...

AH OUI ?! ET CECI ALORS ? "AMANITE PANTHÈRE„ ! MÊMES SYMPTÔMES PLUS DÉLIRES ET HYPERTENSION !

KLAK

UNE PARTIE DE PLAISIR COMPARÉ À CETTE "AMANITE PHALLOÏDE„ MORTELLE APRÈS UNE LENTE AGONIE !

CROTTE ! "CÈPE DE BORDEAUX„ LE PLUS RECHERCHÉ PAR LES VRAIS GOURMETS !

ÉVIDEMMENT SI TU AS L'ATOUT, C'EST FACILE ! T'AS GAGNÉ ...

TERMINUS, KID !

ON EN REFAIT UNE ? C'EST À MOI DE MÉLANGER ! CETTE PARTIE M'A DONNÉ FAIM, PAS VOUS ?

DOMMAGE, SI J'AVAIS EU LA "LÉPIOTE BRUNE„, JE M'EN TIRAIS... ELLE EST AUSSI MORTELLE...

CHERCHE PAS, KID ! PLUS TOXIQUE QUE CETTE AMANITE, C'EST LE CHAMPIGNON ATOMIQUE ...

CES CARTES DIDACTIQUES SUR LES CHAMPIGNONS ONT BEAUCOUP DE SUCCÈS ! QUI SAIT, PEUT-ÊTRE UN FUTUR CHEF CUISINIER DANS LA FAMILLE ?

298

ET VOILÀ ! DÈS QUE JE M'APPROCHE TROP PRÈS DU BLORK, JE SUIS PULVÉRISÉ !

MMH... BIZARRE !

IL DOIT Y AVOIR UN BUG QUELQUE PART...

GAME OVER

EN TOUT CAS, J'AI ENREGISTRÉ TOUTE LA SÉQUENCE SUR MON ORDI.

ON VA LA REPASSER AU RALENTI POUR MIEUX VOIR...

TIP TIP

294A

CRONCH
CRONCH
CRONCH

BLAM
BLAM
BLAM
BLAM

BLAM
BLAM
BLAM
BLAM
BLAM

BROM
BROM
BROM

TAPTAPTAPTAP

TAPTAPTAP

BROM
BROM

BROM
BROM

WOAW !

ET TOUT ÇA EN DEUX DIXIÈMES DE SECONDE...

TECHNIQUEMENT PARLANT TON JEU EST O.K., IL EST JUSTE SUPRAMÉGARAPIDE !

BONJOUR. JE VOUDRAIS ÉCHANGER CE JEU CONTRE UN TRUC DU GENRE "BRUTOR LE LENT CHASSE LA LIMACE EN APESANTEUR SUR LA LUNE„.

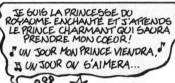

JE SUIS LA PRINCESSE DU ROYAUME ENCHANTÉ ET J'ATTENDS LE PRINCE CHARMANT QUI SAURA PRENDRE MON COEUR !
♪ UN JOUR MON PRINCE VIENDRA, ♪
♫ UN JOUR OU S'AIMERA...

JE SUIS LA PRINCESSE DU ROYAUME ENCHANTÉ ET J'AI UN PROBLÈME DE TRANSPIRATION. DÈS QUE JE BOUGE UN PEU, JE TRANSPIRE. AH LÀ LÀ ! ÇA VA PAS ÊTRE DE LA TARTE POUR TROUVER UN FIANCÉ ! ET JE SENS DES PIEDS ! CHUT, MOINS FORT, HORACE !

IL FAUT SORTIR DE TEMPS EN TEMPS, KID! C'EST TRÈS MALSAIN DE RESTER TOUT L'APRÈS-MIDI DEVANT UNE TÉLÉ!

RIEN DE TEL QU'UNE PETITE CUEILLETTE DE CHAMPIGNONS DES BOIS POUR S'AÉRER EN S'AMUSANT!

OH! DES CHANTERELLES!

IL FAUT TOUJOURS ÊTRE TRÈS PRUDENT AVEC LES CHAMPIGNONS, MAIS ICI IL N'Y A PAS DE DOUTE.

CHANTERELLE!

REGARDE-MOI ÇA, QUELLE MERVEILLE, KID!

ON PEUT LES PRÉPARER POUR UNE SAUCE ARCHIDUC OU EN LASAGNE...

...DONC ÇA N'A ABSOLUMENT AUCUN INTÉRÊT.

MMH... PAR CONTRE CECI ME PARAÎT DÉJÀ BEAUCOUP PLUS INTÉRESSANT...

MAIS OUI! C'EST UN MÉTAMORPHOSIS FORONCULAX! MAGNIFIQUE SPÉCIMEN!

C'EST UN CHAMPIGNON QUI A DES PROPRIÉTÉS SURPRENANTES! TIENS, PRENDS UN BOUT...

TU VAS VOIR, L'EFFET NE DURE QUE QUELQUES MINUTES...

MIOM

MMA

AH? C'EST PARTI! LES PUSTULES COMMENCENT À APPARAÎTRE!

COOL!

BLUB

BLUB

BLUB

HA! HA! JE SAVAIS QUE ÇA T'AMUSERAIT, KID! C'EST MIEUX QU'UN DÉGUISEMENT, HEIN?

ET EN PLUS, ON PEUT LES PRÉPARER EN OMELETTE POUR FAIRE UNE BLAGUE À TA SŒUR!

HSAARG

AARGL

...OU ALORS SIMPLEMENT EN OMELETTE. TA SŒUR ADORE...

..? EUH, KID? ÇA VA?

HSAARG

DÉCAPITATION À DOMICILE IV

INTERDIT AUX -18 ANS

HORRIBLE!

WOW, IL EST GORE TON FILM!

OUAIS, ÇA VA PAS ÊTRE FACILE D'ENTRER ... C'EST POUR ÇA QU'ON VA SE METTRE À 3 DANS L'IMPER!

PLUS ON SERA GRAND, MIEUX ON PASSERA ... ÇA VA BLUFFER LE CAISSIER!

MOUAIS, C'EST JOUABLE MAIS IL FAUDRA RÉPARTIR LES CHARGES, LE PLUS LÉGER AU-DESSUS!

CHOUETTE, C'EST MOI!

ÇA VA EN BAS?

PAS FACILE MAIS ÇA VA ...

DOUCEMENT, LES GARS! JE SUIS LIMITE, MOI!

OUI?

TROIS PL... EUH.. UNE PLACE POUR DÉCAPITATION, S.V.P.

JE VOUS PRÉVIENS, LE FILM EST ASSEZ DUR!

AÏE AÏE!

AAAH, OUI...

Z'ÊTES LOURDS, LES GARS!

OUPS!

JE L'AI VU ET J'AI MAL SUPPORTÉ ... HORRIBLE FILM!

ENFIN, C'EST VOUS QUI VOYEZ...

AH? ÇA VA MIEUX! BOUGEZ PLUS!

VOICI VOTRE TICK...

Y A UN PROBLÈME, JE NE VOIS PLUS HORACE!

JE NE VOIS PLUS LE CAISSIER!

304

PLIK

KRRR

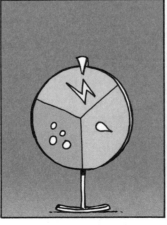

NOËL !

CETTE MAGNIFIQUE FÊTE RELIGIEUSE CÉLÉBRANT LA NAISSANCE DU CHRIST EST DEVENUE, AVEC LES ANNÉES, LA PREMIÈRE RÉJOUISSANCE POPULAIRE.

C'EST SURTOUT AVEC LE DÉVELOPPEMENT DU SENTIMENT FAMILIAL QUE NOËL A PRIS L'IMPORTANCE QU'ON LUI CONNAÎT AUJOURD'HUI...

IL EST NÉ LE DIVIN ENFANT. JOUEZ HAUTBOIS, RÉSONNEZ MUSETTES...

...ET C'EST CONFORTABLEMENT INSTALLÉE AU COIN DE L'ÂTRE DANS UNE ATMOSPHÈRE CHALEUREUSE QUE, TRADITIONNELLEMENT, LA FAMILLE S'ÉCHANGE, POUR LA PLUS GRANDE JOIE DES ENFANTS, QUELQUES CADEAUX JOLIMENT EMBALLÉS.

CE MOMENT MAGIQUE ET EMPREINT DE SOUVENIRS EST AVANT TOUT UNE FÊTE DE LA FAMILLE DANS TOUTE SON INTIMITÉ.

LA FIGURE EMBLÉMATIQUE DE CETTE FÊTE EST LE PÈRE NOËL, PERSONNAGE RASSURANT ET DÉBONNAIRE AYANT GAGNÉ LA CONFIANCE DES TERRIENS DEPUIS BIEN LONGTEMPS. C'EST SOUS CE DÉGUISEMENT QUE LES PLUTONIENS ONT DÉCIDÉ D'ENVAHIR LA TERRE. VOTRE MISSION : LIQUIDER UN MAXIMUM DE PÈRES NOËL.

AH, QUAND MÊME !

PFF... LA PRÉSENTATION DE CE JEU EST VRAIMENT RASOIR ...

BON, C'EST PARTI !

MÉFIE-TOI, JE CROIS QU'IL Y A AUSSI DES PLUTONIENS DÉGUISÉS EN RENNES !

BLAM BLAM BLAM

SROTCH SPROTCH

301

TOUT LE MONDE CONNAÎT LA LUNE, DU MOINS SA FACE VISIBLE...

PAR CONTRE, TRÈS PEU DE GENS SAVENT QUE LA FACE CACHÉE EST HABITÉE...

HNOQ!

HNOQ!

...PAR UN PETIT PEUPLE QUI A ACQUIS AU FIL DES SIÈCLES UNE TECHNICITÉ SURPRENANTE.

VRRRRR

EN VUE DE PRÉPARER UNE INVASION MASSIVE DE LA TERRE, ILS CONÇURENT UNE MINI-CAMÉRA PAS PLUS GRANDE QU'UNE MINUSCULE VIS...

...QU'ILS MONTÈRENT DE MANIÈRE DISCRÈTE SUR UN OBJET TRÈS FAMILIER DES TERRIENS.

UNE ÉQUIPE DE SPÉCIALISTES DÉGUISÉS EN TERRIENS FUT ENVOYÉE SUR LA TERRE...

OCFPH!

OCFPH! HA!HA!

...DANS LE BUT DE VENDRE DES MILLIERS DE CES LUNETTES TRAFIQUÉES.

LE SYSTÈME EST SIMPLE : TOUT CE QUE REGARDE LE PORTEUR DE CES LUNETTES EST, À SON INSU, CAPTÉ PAR LES MINI-CAMÉRAS...

299A

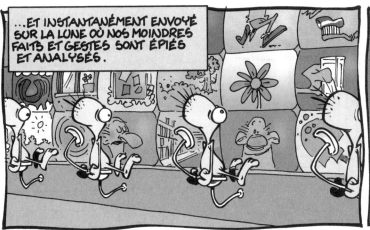

...ET INSTANTANÉMENT ENVOYÉ SUR LA LUNE OÙ NOS MOINDRES FAITS ET GESTES SONT ÉPIÉS ET ANALYSÉS.

IL EXISTE AUSSI DES LUNETTES PLUS ÉPAISSES, SURTOUT VENDUES AUX SCIENTIFIQUES, MUNIES DE CAMÉRAS PLUS PUISSANTES.

TOP SECRET

LE ZOOM PERMET D'AGRANDIR DES DÉTAILS INFIMES. RIEN NE LEUR ÉCHAPPE, MÊME NOS SECRETS LES MIEUX PROTÉGÉS.

$h = 6,625 \cdot 10^{-34} J \cdot s$

$4\pi \cdot 10^{-7} H \cdot m$

TOP SECRET

C'EST LA C.I.A. (LE SERVICE AMÉRICAIN DE CONTRE-ESPIONNAGE) QUI, APRÈS ENQUÊTE, DÉCOUVRIT LA MACHINATION.

HNOQ?

QUELQUES-UNS DE CES ENVAHISSEURS, LES OKULIX, ONT ÉTÉ RECONDUITS CHEZ EUX SANS MÉNAGEMENT GRÂCE AUX MISSIONS SPATIALES...

MAIS IL EN RESTE ENCORE BEAUCOUP ET IL FAUT ÊTRE MÉFIANT. D'AILLEURS, PLUS AUCUN PRÉSIDENT AMÉRICAIN NE PORTE DE LUNETTES !

OÙ SONT MES LENTILLES ?

MOUAIS...LUNE, LUNETTE, Y A UNE LOGIQUE... MAIS COMMENT LA C.I.A. A RÉUSSI À LES COINCER ?

À CAUSE DE LA SEULE PETITE ERREUR DES OKULIX: ILS UTILISENT LEUR PROPRE ALPHABET POUR LES TESTS DE VUE !

HNOQ
OCFPH
HENFQP
COFPHN

VOUS ÊTES UN OKULIX !

OCULISTE.

OUAIS, C'EST ÇA ! ET MON PÈRE, C'EST LE PAPE !

299B

T'ES PRÊT, P'PA ?

OUI.

LE TEMPS DE FERMER LE VESTIAIRE ET J'ARRIVE.

WOAW ! J'AVAIS JAMAIS REMARQUÉ QUE T'ÉTAIS AUSSI MUSCLÉ !

HA ! HA ! JE M'HABILLE TOUJOURS AVEC DES VÊTEMENTS AMPLES... JAMAIS BON DE SUSCITER DES JALOUSIES...

AH ! VOILÀ NORBERT !

COMMENT ALLEZ-VOUS, NORBERT ?

BIEN, MERCI, M'SIEUR PADDLE ! VOUS VENEZ FAIRE VOS 200 LONGUEURS MATINALES ?

ABSOLUMENT. VOUS ME RÉGLEZ LA TEMPÉRATURE DE L'EAU COMME D'HABITUDE ?

IMMÉDIATEMENT M'SIEUR PADDLE !

ILS ONT LA TRÈS MAUVAISE HABITUDE DE SURCHAUFFER CES PISCINES...

POUR MOI 5°C EST UN MAXIMUM...

7 QUAND JE SUIS GRIPPÉ.

27°C

TIP TIP

QUAND JE TRAVAILLAIS EN SIBÉRIE, MES HOMMES ET MOI AIMIONS NOUS BAIGNER EN HIVER DANS LE FLEUVE TOUNGOUSKA...

..ÇA RAVIVE LE CORPS ET L'ESPRIT !

4°C

BON, ASSEZ PLEURÉ SUR LE PASSÉ !

BONNE BAIGNADE, KID !

SPLASH

1

AAARGLLL HI ! HI ! HI ! ELLE EST FROIIIIIIIIDE ! KIIIIIIIIIIIIID !

27°C

303

AH, KID! TU TOMBES BIEN !

JE VIENS DE RECEVOIR LA TROISIÈME FICHE DE MON COURS DE KARATÉ PAR CORRESPONDANCE !

SUPER ! PLUS QUE 12 000 FICHES ET TU AURAS ENFIN TA CEINTURE BLANCHE !

ÇA PARLE DE LA PHILOSOPHIE DES SAMOURAÏS, IL Y A MÊME UN EXERCICE DE PAPIER PLIÉ !

MMH... ATTENDS.. "LA VOIE DU GUERRIER SAMOURAÏ PERMET DE S'OUVRIR AU SPIRITUEL...." BLA BLA.. HA ! HA ! ÇA, CE SONT LES SALADES HABITUELLES ! AH, VOILÀ : "POUR ILLUSTRER CE CHAPITRE, NOUS ALLONS FAIRE UN EXERCICE D'ORIGAMI HYPERRÉALISTE."

WOAW !

"1) PRENEZ UNE BELLE FEUILLE DE PAPIER ET PLIEZ-LA EN 3 PUIS EN 6 DANS LE SENS DE LA LONGUEUR ET EN LARGEUR ...."

ÇA VA ÊTRE SÛREMENT UN DRAGON OU UN TRUC DANS LE GENRE !

"... 4) APRÈS AVOIR PLIÉ LES DIAGONALES SUR 1/3 DE LA HAUTEUR, REMONTEZ LES POINTES ET PLIEZ AU CENTRE "

"...16) COURBEZ LES PANS INFÉRIEURS EN GLISSANT LES COINS LES UNS DANS LES AUTRES..."

DES ANCHOIS SUR TA PIZZA ?

PFIOU, COMPLIQUÉ CE MACHIN !

"42) RABATTEZ TOUS LES COINS ... MIOM... CHUR LE CHENTRE... EN ECHAYANT DE NE PAS DÉPACHER LES BORDS.

43) RETOURNEZ LE TOUT... MIOM.. ET RECOMMENCHEZ LES POINTS 26 À 41. "

CH'EST LONG, HEIN ?

"...125) MARQUEZ LES PLIS INVERSÉS EXTÉRIEURS, OUVREZ ET REFERMEZ 12 FOIS "

BIZARRE, JE NE VOIS TOUJOURS PAS CE QUE C'EST...

"VOILÀ ! VOTRE PLIAGE EST TERMINÉ ! FÉLICITATIONS, VOUS AVEZ RÉALISÉ UNE BOULE DE PAPIER FROISSÉ ! ET N'OUBLIEZ PAS : POUR LE SAMOURAÏ L'ÊTRE ET LE PARAÎTRE NE FONT QU'UN !"

WOAW !

EXTRAORDINAIRE ! L'ILLUSION EST PARFAITE ! ON NE FAIT PAS LA DIFFÉRENCE ENTRE MA BOULE ET LES BOULES DE LA CORBEILLE À PAPIER !

GÉNIAL, CE COURS !

C'EST SEULEMENT VERS 16 ANS QUE TU PRENDRAS CONSCIENCE DE TON ACCOUTREMENT RIDICULE...

...ET DE TON RETARD SCOLAIRE. TES STUPIDES JEUX VIDÉO T'AYANT USÉ LA VUE ET FAIT PERDRE TON TEMPS, TU DEVRAS ABANDONNER TES ÉTUDES DE CONCEPTEUR DE JEUX EN INFORMATIQUE...

MATH. NIVEAU SUP.

COURS DE MATH

J'♥ LES MATHS

...POUR DEVENIR FLEURISTE. TON BON GOÛT RECONNU POUR MARIER LE ROSE ET LE BLEU T'ATTIRERA UNE CLIENTÈLE DE QUALITÉ.

C'EST DANS LA SALLE DU COMITÉ DES FÊTES, AU CLUB DE PHILATÉLIE, QUE TU FERAS CONNAISSANCE DE BERNADETTE.

TU EN TOMBERAS TRÈS AMOUREUX ET LA POÉSIE T'APPRENDRA QUE LA VRAIE BEAUTÉ EST INTÉRIEURE.

Bernadette, mon amour, vous êtes belle...

comme un jour de tempête.

ELLE TE DONNERA DE BEAUX ENFANTS QUE TU ÉLÈVERAS EN BON PÈRE DE FAMILLE.

4 BELLES PLACES POUR "RIKIKI AU FAR WEST", SVP.

CINESTAR

HORROR!

LA MENACE BJORK!

TA FILLE, MARIE-HENRIETTE, DEVIENDRA DANSEUSE DE BALLET...

...ET TON FILS, JUSTIN-HENRI, UN PROFESSEUR DE MATHÉMATIQUES TRÈS AIMÉ DE SES ÉLÈVES.

$A^3 + B^3$

$COS x + SIN y - A^2 + B^2$

ZZZ

TU TE RETIRERAS À LA CAMPAGNE, LOIN DE L'EXCITATION VAINE DE LA VILLE, SANS TÉLÉVISION ET SANS ORDINATEUR. JUSTE UN VIEUX POSTE DE RADIO...

AAAÂÂAAÂAA

...SUR LEQUEL TU ÉCOUTERAS TON ÉMISSION PRÉFÉRÉE "CE SOIR À L'OPÉRA". PENDANT QUE BERNADETTE TRICOTERA DES CHAUSSETTES ROSES POUR TES PETITS-ENFANTS.

C'EST BEAU...

BEURK

308

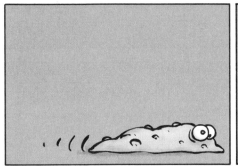

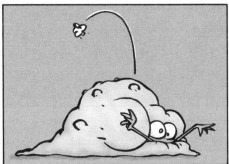

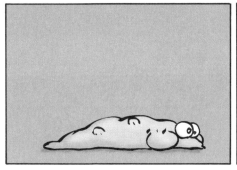

OUI, LE MONSTRE EST EN PÂTE À MODELER, DEUX BALLES DE PING-PONG POUR LES YEUX... LE PRINCIPE D'ANIMATION EST SIMPLE : ON PREND UNE IMAGE, ON BOUGE LE SUJET, ON PREND UNE IMAGE, ON BOUGE LE SUJET, ON PREND UNE IMAGE...

SPLENDIDE.

CAROLE, J'AI BESOIN DE POUPÉES SUPPLÉMENTAIRES POUR LA SCÈNE SUIVANTE, CELLE DE L'INDIGESTION...

C'EST MOI QUI AI FAIT LES PETITES CROTTES ! TRÈS FACILE. TU PRENDS UN PEU DE PÂTE ET TU TOURNES...

OK, LE PRINCIPE EST SIMPLE : TU TOUCHES À MES POUPÉES, TU PRENDS UNE BAFFE, TU TOUCHES À MES POUPÉES, TU PRENDS UNE BAFFE, TU TOUCHES À MES...

305

Pour cet exercice d'origami, prenez une grande feuille de papier.

Pliez la feuille en huit en marquant les plis verticaux et horizontaux et rabattez tous les coins.

Ensuite, pliez les épaisseurs en joignant les coins (comme indiqué sur la figure 8) et glissez la partie basse sur la diagonale arrière.

Dépliez les triangles et replacez les pointes vers l'arrière avant de fermer (figure 17).

Faites deux points au crayon et un trou comme indiqué en figure 24...

..Soufflez dans le trou pour développer votre origami...

PFFF...

PFFF.. PLOP!

Et voilà ! vous avez votre sergent dégueulis sulfurique !

ASTUCE : Pour un plus bel effet, vous pouvez réaliser le vomi dans un papier différent, type magazine avec photos couleur.

AH, CAROLE ! JE TE CHERCHAIS...

TU N'AURAIS PAS UN MAGAZINE AVEC DES PHOTOS COULEUR ?

306

KLiNK

JE SENS QUE TU ES CONTRARIÉ...

C'EST DE LA MOUSSE, C'EST CONFORTABLE, NON ?

OUI, C'EST ÇA ! N'AGGRAVE PAS TON CAS !

PFF... POUR UNE FOIS QUE JE GAGNE QUELQUE CHOSE À LA FOIRE...

DE MON TEMPS ON GAGNAIT UN POISSON ROUGE.

C'ÉTAIT TRÈS BIEN.

IL EST VERT.

?

JE SAIS QU'IL EST VERT ! JE VOULAIS UN ROSE À POIS JAUNES MAIS IL N'Y EN AVAIT PLUS EN STOCK, HA ! HA !

JE PARLAIS DU FEU.

HEUREUSEMENT QU'ON A UN TOIT OUVRANT !

ET EN PLUS LES GENS SONT PRESSÉS.

PRESSÉS ET AGRESSIFS.

309

 J'ADORE ALLER CHEZ LE BOUCHER AVEC TOI! TU CROIS QU'IL VA LE REFAIRE?

SÖREMENT, IL LE FAIT À CHAQUE FOIS!

 BONJOOR MONSIEUR PADDLE, BONJOOR KID!

BONJOOR, 3 STEAKS DE 200 GRAMMES, S.V.P!

 JE M'OCCUPE DE ÇA IMMÉDIATEMENT! MES COUTEAUX SONT PARTICULIÈREMENT BIEN AIGUISÉS AUJOURD'HUI!

CLIK

CLIK

 J'AI TRÈS MAL DORMI LA NUIT PASSÉE, UN STUPIDE MOUSTIQUE M'A TENU ÉVEILLÉ JUSQU'AU MATIN...

 D'AILLEURS, JE NE DEVRAIS PAS TRAVAILLER AUJOURD'HUI...

DANGEREUX DE MANIER DES COUTEAUX QUAND ON EST FATIGUÉ...

 UN ACCIDENT EST SI VITE ARRIV...

SCHTAK

AAAAAAAARGLL

 KID! AU SECOURS! JE ME SUIS TRANCHÉ LA MAIN!

COOL!

 HiIIIIIIIII!

 SCHTAK

 HA! HA! INCROYABLE CE BOUCHER! IL EN A FAIT UN PEU PLUS CETTE FOIS-CI. LE COUP DU PIED, JE NE CONNAISSAIS PAS!

OUI.. EUH.. DE TOUTE FAÇON, JE TROUVE QU'ON MANGE TROP DE VIANDE... C'EST BON AUSSI, LES LÉGUMES...

32L

ELLES... ELLES SONT TOUTES COMME ÇA ?!

OUI, MONSIEUR LE PRÉSIDENT...

TOUTE LA PRODUCTION... 16 MILLIONS DE PIÈCES...

16 297 482 POUR ÊTRE PRÉCIS.

C'EST LA FAILLITE !

L'USINE DE FABRICATION EN CHINE A EU UN PROBLÈME...

UN FOUR S'EST EMBALLÉ...

MAIS, BONNE NOUVELLE, ILS NOUS FONT UN GROS RABAIS...

FORMIDABLE !

RABAIS QU'ON PEUT ENCORE NÉGOCIER !

ON POURRAIT LES SOLDER ?

PERSONNE N'EN VOUDRAIT, MÊME POUR RIEN...

ELLES SONT UTILISABLES ?

EUH... JE NE SAIS PAS, JE CROIS...

SORTEZ-LA DE SA BOÎTE, ON VA VÉRIFIER !

KLING !

PARFAIT, ÇA MARCHE !

MESSIEURS, NOUS ALLONS POUVOIR LES VENDRE 5 FOIS PLUS CHER !

COCHON-TIRELIRE
INTERNATIONAL

NOUVEAU ! LA TIRELIRE DE L'HORREUR !

COMBIEN ?!

C'EST CHER, D'ACCORD, MAIS ATTENTION, HEIN ! QUALITÉ TOP ! C'EST FABRIQUÉ À L'ÉTRANGER DANS UN ATELIER ULTRA SPÉCIALISÉ !

COOL !

ZOMBIE

317

UN GARDE DU CORPS ?!

ABSOLUMENT! ET UN DES MEILLEURS!

MON PÈRE A HÉRITÉ TRÈS JEUNE D'UNE ÉNORME FORTUNE LÉGUÉE PAR UN COUSIN MAFFIEUX.

ACTION FERRARI

CET ARGENT SUSCITA DES JALOUSIES ET IL FUT OBLIGÉ D'ENGAGER UN GARDE DU CORPS.

UN TYPE DOUÉ QUI SAUVA PLUSIEURS FOIS LA VIE DE MON PÈRE.

BLAM BLAM

AVEC LES ANNÉES, LA SITUATION SE CALMA ET LE GARDE DU CORPS TROQUA SON AUTOMATIQUE POUR UNE CANNE-ÉPÉE PLUS DISCRÈTE.

DEPUIS IL N'A JAMAIS QUITTÉ MON PÈRE D'UNE SEMELLE MALGRÉ LES ANNÉES...

C'EST UN HOMME TRÈS DISCRET QUI NE PARLE JAMAIS DE SON MÉTIER.

IMPOSSIBLE DE LUI TIRER QUOI QUE CE SOIT, IL EST TRÈS FORT POUR CHANGER HABILEMENT DE SUJET.

AH! LE VOILÀ!

INCROYABLE! ET DIRE QUE JE VOUS PRENAIS POUR LE GRAND-PÈRE DE KID!

SI J'AI SOUFFERT D'ARTHRITE ?! OUI, UN PEU... MAIS TU SAIS, C'EST NORMAL À MON ÂGE...

EUH... JE PEUX VOIR VOTRE CANNE-ÉPÉE?

HA! HA! MAIS BIEN SÛR QUE TU PEUX ALLER JOUER SUR LE CANAPÉ.

AAAH! JEUNESSE...

TRÈS TRÈS FORT!

JE T'AI DÉJÀ DEMANDÉ DE NE PAS MÊLER PAPY À TES STUPIDES HISTOIRES!

PAR AILLEURS, JE NE PARLE PAS UN MOT D'ITALIEN ET MON COMPTE EST EN NÉGATIF!

OUI DON' PADDLE.

319

JE TE SIGNALE QUE LE BUT DU JEU EST DE PASSER AU DEUXIÈME NIVEAU.

PAS DE FAIRE L'IMBÉCILE...

... ET ICI C'EST LA CHAMBRE DE MON FRÈRE, AVEC MON FRÈRE EN TRAIN D'ÉTUDIER !

PIOUU PIOUU

KID, JE TE PRÉSENTE MAXIMILIENNE.

ELLE EST AVEC MOI AU COURS DE MATH AVANCÉ.

C'EST COOL ICI !

COURS DE MATH AVANCÉ ?!

TU ES DANS LA MÊME CELLULE DE PRISON QUE MA SOEUR ?

Stupid Monster

ELLE VOUDRAIT DEVENIR MÉDECIN COMME MOI !

PÉDIATRE, POUR SOIGNER LES BÉBÉS.

MOUAIS, LES BÉBÉS... BOF... JE PENSAIS PLUS À UN TRUC GENRE : ASSISTANTE DE CHIRURGIEN, C'EST PLUS MARRANT...

ON POURRAIT TRAVAILLER ENSEMBLE ALORS ! JE PENSAIS DEVENIR BOUCHER MAIS CHIRURGIEN C'EST BON AUSSI, ÇA DOIT PAYER MIEUX !

ON OUVRE, ON RIGOLE, ON FERME.

CHIRURGIEN ?! MAIS BIEN SÛR ! IL SUFFIT DE SAVOIR JOUER AVEC UN SCALPEL !

ET PUIS, ON NE FAIT PAS ÇA POUR L'ARGENT !

AH, MAIS JE NE FERAIS PAS ÇA UNIQUEMENT POUR L'ARGENT MAIS AUSSI POUR LE SCALPEL !

ON VA PEUT-ÊTRE TRAVAILLER DANS LE MÊME HÔPITAL, QUI SAIT ?

SUPER, JE VOIS D'ICI LE TOPO ...

MOI AUSSI !

MOI AUSSI !

BONJOUR, MONSIEUR DUPOND !

BONJOUR, DOCTEUR MAX !

VOILÀ, VOTRE PETITE INTERVENTION CHIRURGICALE EST PRÉVUE POUR DEMAIN MATIN. C'EST LE PROFESSEUR PADDLE QUI VA VOUS OPÉRER, VOUS AVEZ DE LA CHANCE, IL EST TRÈS COMPÉTENT !

PARFAIT !

163

AH ? EH BIEN, JUSTEMENT, LE VOICI !

BONJOUR, PROFESSEUR !

323A

LE PROFESSEUR PADDLE AIME RENCONTRER SES PATIENTS AVANT DE LES OPÉRER!

DUPOND?

OUI..EUH.. ENCHANTÉ...

COUPER!

DOUCEMENT, PROFESSEUR'...

AAAH!

NON, PROFESSEUR, PAS MAINTENANT! C'EST TROP TÔT! IL FAUT ATTENDRE DEMAIN!

PAS COUPER?

VOUS OPÉREZ MONSIEUR DUPOND DEMAIN À 8H00. VOUS COMPRENEZ CE QUE JE DIS? DEMAIN, 8H00!

DEMAIN? COUPER?

COUPER DUPOND DEMAIN!

VOILÀ, C'EST ÇA. MAINTENANT ALLEZ VOUS REPOSER...

LE PROFESSEUR A ÉTÉ TRÈS HEUREUX DE VOUS RENCONTRER.

IL VOUS TROUVE TRÈS SYMPATHIQUE!

DUPOND DEMAIN COUPER!

DORMEZ BIEN ET À DEMAIN.

BELLE PERFORMANCE! J'AI OUBLIÉ DE LUI DIRE QUE TU BUVAIS ET QUE C'EST POUR ÇA QUE TES MAINS TREMBLENT...

163

PAS GRAVE. ON LUI DIRA DEMAIN QUAND ON VIENDRA LE CHERCHER...

PADDLE!

KLAP

LA DIRECTRICE DE L'HÔPITAL, MADAME VOTRE SOEUR, VEUT VOUS VOIR TOUS LES DEUX IMMÉDIATEMENT DANS SON BUREAU, ELLE COMMENCE À ÊTRE FATIGUÉE DE VOS EXCENTRICITÉS!

ET UN CONSEIL, PADDLE: ENLEVEZ CE COSTUME GROTESQUE!

LA VISITE DE LA CHAMBRE DE MON FRÈRE EST TERMINÉE. ON DOIT LE LAISSER ÉTUDIER.

POUR LES EXERCICES PRATIQUES, ON PEUT DÉJÀ SE FAIRE UNE PARTIE DE DISSEKATOR II OU LOBOTOMISATOR IV!

JE CONNAIS! J'AI UNE MOYENNE DE 245 LOBOTOMIES PAR MINUTE!

323B

AH! VOICI LE PREMIER ÉTAGE DE LA TOUR EIFFEL!

TIENS? ON DIRAIT QU'IL MANQUE UN BOULON À CETTE BARRIÈRE DE SÉCURITÉ...

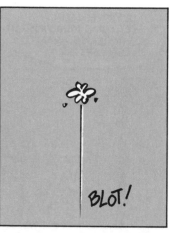

JE VAIS VOIR SI C'EST SOLIDE EN POUSSANT DESSUS... KLONK

OUPS!

BLOT!

Y A PAS À DIRE, LE DEUXIÈME ÉTAGE EST PLUS HAUT QUE LE PREMIER!

J'ADORE VISITER EN HIVER! IL Y A MOINS DE MONDE ET L'AIR EST PLUS PUR...

IL Y A JUSTE CE VERGLAS QUI EST UN PEU ENNUYEUX... ZIP ZIP

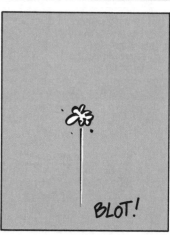

BLOT!

IL PARAÎT QUE LA VUE EST SUPERBE AU DERNIER ÉTAGE. JE SUIS CURIEUSE DE VOIR ÇA!

MON DIEU, QUE C'EST HAUT! HI! HI! LES GENS SONT TOUT PETITS, ON LES VOIT À PEINE!

JE VAIS ME PENCHER POUR MIEUX LES VOIR...

GRAND MERCI, MONSIEUR PADDLE, POUR CETTE BRILLANTE PERFORMANCE!

PAS DE QUOI...

BLOT!

③⑮

PHYSIQUE

VITESSE, ACCÉLÉRATION ET GRAVITÉ.

LE DERNIER ÉTAIT TRÈS RÉUSSI!

CECI EST LA DÉMONSTRATION QUE PLUS LA CHUTE D'UN OBJET EST LONGUE, PLUS IL PREND DE LA VITESSE! REGARDEZ COMME LE 3e SUJET EN PÂTE À MODELER S'EST AFFREUSEMENT APLATI!

ABSOLUMENT! ACCÉLÉRATION DUE À LA GRAVITÉ!

BLOUB!